CW00384429

À Alexis et à sa maman Stéphanie, un Bali à lire en famille.
M.

Aux boudeuses.
L. R.

Éditions Flammarion – 87, quai Panhard-et-Levassor – 75647 Paris Cedex 13
www.editions.flammarion.com
ISBN : 978-2-0812-8539-2 – N° d'édition : L.01EJDN000892.N001
Dépôt légal : octobre 2013
Imprimé en Espagne par Edelvives – 09/2013
Loi n° 49-956 du 16 juillet 1949 sur les publications destinées à la jeunesse

Magdalena

Laurent Richard

Bali™ est fâché

Père Castor ■ Flammarion

C'est la fête foraine.
Léa et Bali sont sur un manège.
Ils s'amusent comme des fous.
Maman prévient :
– C'est le dernier tour, maintenant.

Quand le manège s'arrête,
Léa fait au revoir de la main.
Mais Bali reste perché sur son cheval,
il veut refaire un autre tour.

Maman lui dit :
– Bali, je t'avais prévenu, je n'ai plus de ticket.
Et d'autres enfants attendent ;
tu dois laisser ta place, maintenant.

Quand Bali descend de son cheval,
il est fâché contre Maman.

Bali boude, il marche derrière Maman
en traînant les pieds.
Maman se retourne et lui dit :
– Bali, arrête de faire
ta mauvaise tête !

Bali est vexé.
Léa veut descendre de la poussette,
elle n'aime pas quand Bali se fait gronder.
– Main, main, dit Léa.

Bali lui donne la main.

– Toujours fâché contre moi ?
demande Maman à Bali
devant la pêche aux canards.

Bali ne répond pas.
– Hum, qui va aider Léa à pêcher,
elle est bien trop petite
pour y arriver toute seule ?

Bali dit d'une petite voix :
– Moi, je veux bien l'aider.

Bali et Léa font ensemble
deux fois la pêche aux canards.
Ils gagnent chacun un lot.

Léa, fatiguée, s'est endormie dans la poussette.
– Oh, si on mangeait une pomme d'amour ? propose Maman en s'arrêtant devant le stand. Mais j'oubliais, ajoute-t-elle, on ne peut pas la partager, tu es fâché contre moi.

– Pardon, dit Bali.
Et il embrasse Maman pour faire la paix.

Tous deux s'assoient sur un banc.
La pomme d'amour est si dure que ni Bali
ni Maman n'arrivent à croquer dedans.
Cela les fait beaucoup rire.

– Et si on donnait la pomme d'amour à Papa ?
propose Bali sur le chemin du retour.
– Quelle bonne idée ! Papa sera bien content,
répond Maman.